CW00832713

30 POEMAS Y UNA BACHATA

HÉCTOR GEAGER

30 Poemas y Una Bachata
Copyright © 2021 by Héctor Geager

Poetry

Library of Congress Control Number: 2021914315
ISBN-13:   Paperback: 978-1-64749-505-3
             ePub: 978-1-64749-506-0

GoToPublish LLC
1-888-337-1724
www.gotopublish.com
info@gotopublish.com

CONTENTS

"Niebla"

Fernando Carballo

(Plumilla 21x28 cmts, 2019)

DEDICATORIA

Esta simple producción literaria va dedicada a Anthony, Jahaira, Sunny y Luca

RECONOCIMIENTOS

Gracias a los grandes poetas Ticos, Marisa Russo y Marcos Aguilar por su excepcional generosidad y dedicación para hacer realidad el humilde Proyecto de este libro. Es una deuda impagable el compartir su tiempo , sus   conocimientos, y sobretodo su paciencia.   ·   ·

Gratitud a Paola Fernández Carmiol por sus correcciones y sugerencias. Agradezco mucho la labor incansable de Irene Torres juntando todas las piezas de este libro desde Costa Rica. Su labor organizacional y colaboración le dio vida a este esfuerzo poético.

Al gran talentoso pintor y amigo Costarricense Fernando Carballo le agradezco la generosidad de diseñar la portada de este libro.

Vreau să-i arăt recunoştinţa mea imensă Inei Gruin. M-a ţinut pe mine motivând să scriu şi să urmăresc progresul acestei cărţi. Mulţumesc, draga mea mamă pentru eforturile tale neîngrijite ca să mă concentrez.

Mas que un autor, fuimos varios autores los productores de este libro. Todas las personas aquí mencionadas hicieron una labor maravillosa. Se merecen todo el reconocimiento posible. Sin embargo, soy el responsable personal por cualquier error en su contenido.

Héctor Geager
New York, 8 de abril del 2021

PROLOGO

Cada vez que se topa uno con un nuevo libro de poesía, siente el temor de que se venga a sumar a los miles y miles de publicaciones que no agregan nada a la cultura, la educación, el pensamiento o por lo menos al entretenimiento de la humanidad. Libros enteros -a veces voluminosos- en los que no se encuentra una sola idea sorprendente, un solo verso digno de leerse nuevamente, nada. Libros que, como ya ha sucedido, terminan vendiéndose por kilos a las recicladoras, que finalmente hacen con ellos algo útil: toallas, servilletas y papel higiénico. No hay originalidad, no hay talento; a veces ni siquiera una mediana habilidad en el manejo de la lengua.

No es el caso de don Héctor Geager y estos "30 poemas y una bachata." Libro personalísimo, donde el autor se zambulle en sí mismo nadando "a todo vapor" en el pasado "porque somos pasado." Y le teme al presente porque

"Uno se muere en el presente,
uno no se muere en el futuro,
tampoco se muere en el pasado".

Tiene el poeta un sentido pragmático de la existencia:

"Como pan.
Bebo agua.
Y existo."

Dueño de una sorprendente imaginación, nos sacude poema tras poema con ideas, imágenes, ocurrencias, cabalgando frecuentemente en el surrealismo, "lavando las fantasías y volviéndolas a usar." Este libro es como una piscina llena de palabras, significados, imágenes, "verbos que no cicatrizan" y por todo lado "los adverbios bailan boleros."

Pero el autor se conserva positivo, tiene el "sentimiento de la bachata," nos recuerda que
"la tristeza se cuece en alcohol y limón, como ceviche." Y la danza de la vida es cosa de todos los días,
"un paso adelante mañana,
un paso atrás hoy".
"Racionales o irracionales,
somos y estamos."

Es un mundo donde "llueven pescaditos, no, los pescaditos vuelan,

tienen alas y plumas."
Aunque no es inmune a la cruda realidad de las cosas:
"los zapatos me aprietan...
tengo que desatarme los cordones".
Y "la lluvia me hace doler hasta los dientes del alma".
Se nota en estos "30 poemas y una bachata" la mano de quien no es ningún improvisado. Efectivamente, don Héctor Geager es profesor universitario en Nueva York y ha impartido cursos en diferentes países latinoamericanos.

Yo, por mi parte, he disfrutado mucho este libro original, irreverente, novedoso. Estoy seguro de que el lector también lo disfrutará.

Marcos Aguilar
Costa Rica, febrero 26, 2021

Una Lágrima en el Corazón

En el corazón crecen rosas y enredaderas
con fuertes raíces que crecen toda una vida.
Rosas de cristal y maderas.

Enredaderas que laten por sonrisas.
Un día abrí las puertas de tus ojos, vi una gota de agua
desprendiéndose de una hoja;
y detrás llovían labios palpitando suavemente flores de metal
y caderas.

11/14/2010

Una Noche y Un Día en Inglés

The other day I met a night
Unlike any night, it was a day with sun and stars
Starry day overcome by a pretentious night

Disconnected from one another, they observed each other
dancing and kissing between down and morning: the day
holding a candle, the night holding a dark

The next night I met a day
Full of night was that day

Unlike any day, it was saddest than a night
Dressed of shadows
With a blond coiffure

12/12/17

Los Homeless de New York

Predicadores callejeros deambulando su pobreza,
mendigando biblias.

Te recitan pasajes que vacían en el infinito del oído,
palabras molestosas sobre molestosas palabras mientras el
sol sale en el tren.

No he comido, estoy en la calle, necesito una operación, soy
mudo, soy veterano ayúdenme con unas monedas, "God
bless you!" Si me das algo. "Fuck you," si no me das.

Puedo comer planetas, vivir en un hilo, operarme con un
bizcocho, pelear una guerra contra el hambre y acuñarme
en la vida.

Predicando calles voy
God bless!

10/2/18

Yo Soy Tú, Tú Eres Yo

Ese soy yo
el único Dios.
Los demás son baratos
dioses de mercado.

Ese soy yo
Dios todo poderoso,
Aunque mis creaciones
caigan en un pozo.

Ese soy yo
Dios omnipotente.
muchas veces estoy presente
Igual cantidad ausente.

Cincuenta cincuenta,
ese soy yo
Dios omnipresente.
Con cara de no fui yo
si las cosas se ponen verdes.

Si las cosas se ponen rosas,
ese soy yo
Dios de coraje grueso.
Demandando amor incondicional para mi hijo
y mis santos de palo.

Y el amor se estira
hasta cubrir mis intermediarios:
Curas
Pastores
Reverendos
Rabinos
y todos los que viven de mi nombre bien cómodos
y holgados.

Ese soy yo.
Dios de los acomodados,
Dios guerrero,
Dios gelatinado.

Nunca duermo, pues tengo
a todo el mundo vigilado.
Veinticuatro horas al día,
trescientos sesenta y cinco días al año.
Por varios miles de años
no he descansado,
por esos soy Dios
siempre vigilante de pecado.

Casi estoy despedido
de mi trabajo,
hay demasiados pecados.
Soy un gran pecador,
pues creé al hombre a mi semejanza y no a la mujer,
gran problema me he buscado.

Con tantas oraciones,
misas,
novenas,

procesiones,
(para exhibir Los Santos de Palos y Yeso y a mi hijo de
madera y concreto)
promesas,
resguardos,
retiros,
y uno que otro peregrinaje
para comunicarse directamente conmigo,
hablándole a una pared de piedra y barro.

Ignorantes molondrones babosos me crean
y después usando Realidad Virtual se traicionan.
y dicen que yo los he creado.
Ese soy yo,
Dios de los ilógicos, cabezas de piedra y
"arrepentidos" viciados.

Soy tu Dios,
tu amigo espiritual
de un software mal programado,
dios virtual con virus
de Inteligencia Artificial
viviendo en el Internet que ustedes me han creado.

yo soy Dios,
yo soy Dios,
yo soy Dios,
minusculamente punto

¡Se van todos al carajo!

10/5/18

Tú Eres Yo, Yo Soy Tú

Este soy yo:
Lucifer
Satana
El Diablo.

Una contraposición
a ese Dios melancólico,
pues a los dos ustedes nos han creado.

Este soy yo, Lucifer.

Rey de los disfrutes, vicios y pecados
de seres humanos
(Las virtudes son de ese Dios bucólico).

Este soy yo, Satana.

Mucho más cercano
al ser humano,
con todas mis faltas y
virtudes (también tengo unas que otras)
aunque me llamen el enemigo malo. Y pregunto,
¿Qué enemigo es bueno?
¿Es acaso Dios bueno conmigo?
Por la eternidad me ha condenado
¿Sin juicio?
¿Sin habeas corpus?

¡Fuan!
Al infierno me ha tirado.

Este soy yo El Diablo.

Que soy demonio.
Que voy tentando.
Que me culpan de todo.
Hasta de las bombas atómicas
que al Japón le han tirado,
como si la orden yo la hubiera dado.
Pero ¿acaso no fueron hombres
los que rezaron para librarse de semejantes asesinatos?

Y ni hablar de los esclavos.
Tampoco cometí el Holocausto.
Los genocidios y demás exterminios que los bendecidos han
perpetrado.

Este soy yo.
Tú,
Lucifer,
Satana,
El Diablo.

10/10/18

Galán de Telenovelas

Con miradas de clavos
soy apuesto como un cigarro,
esbelto como una varilla,
por la vida me desplazo.

Como gallo dando picotazos.

Con besos de segunda mano
que en mercados de pulgas podés encontrar.

Muchos te quiero,
muchos te amo,
por ellos me pagan...
Por encender corazones
y apagar cerebros atortolados.

¿Mis abrazos?
De oso son.
Empapados en drama
para la dama de epiléptica mirada.

Amores de mi vida me disuelven
en agua de azúcar
revolviendo el mismo plot
miles de veces:
"Déjame pasar mis pensamientos como huesos
a través de la fría espuma del colchón, María Bonita."

Le digo a la flaca gris, con entrelazada mirada.

Amores de mi vida respiran profundamente el aire del yo
que está aquí,
flaco de mariposas desveladas, en el ensueño de suspiros
intermitentes.

Por la vida me desplazo
nadando en la miel de los
televidentes.
De tanto sufrimiento
se me caen hasta los dientes.

galán de telenovelas.

Un barco velero se paró entre las rendijas del mar porque se
le apagaron las velas.
Con un fósforo prendelas galán, que los años te apagan.

10/10/18

Las Cuervas del Tren 1

Parecen tres cuervas
paradas en el medio de los oídos,
desplazadas en la miseria de la ignorancia,
palabras pobres palabras de español.

¿Cómo? ¿Las cuervas hablan español?

¡Qué cuervas más cultas!
¡Saben hablar!
Locas, quilladas,
de dónde serán, aves
de plumas tan brutas.

Vuelan en el tren, se posan,
se bañan,
se enjabonan las alas de desperdicios.
Cuervas, cuervas...

Se levantan y alzan camino,
nadando en el aire de su ignorancia ancestral.

Decididamente, ¡no quiero verlas jamás! Me
serruchan el oído
Hoy no quiero ir a trabajar.

10/16/18

Idea Estresada

¿Piso el piso, o es el piso que me pisa como una pizza?

Qué pisado me siento de viernes
parapetado en el hilo de mis pensamientos
me entretengo tejiendo una idea con telas de araña.

El mundo está hecho de harina, salsa de tomate y queso.

Se crean las memorias, después hay que buscarlas.
¿Adónde estará la idea que tenía?

El horno calienta mis pensamientos de pizza
Esa idea se me escapó como salsa
Se derritió como queso
Y se disolvió en la harina de la confusión.

Pobre idea, murió antes de llegar a la boca.

10/19/18

Day Dreaming

Por estar con la boca abierta de par en par
casi me trago una mosca.

En un momento,
en este mismo momento
que puede llevarle a uno adonde quiera,
inclusive a mi cama.

Casi me trago una mosca.

Viajero mental
vamos a viajar con la Mente Airline
al colchón más confortable de la tierra.

Aquí, una alfombra voladora
podría transportarnos.
No hay ningún lugar como la espuma,
no hay ningún lugar como la espuma.
Me voy a enjabonar.

Casi me trago una mosca.

En este mismito momento
voy a cerrar la boca
porque casi, casi
una mosca me tragó.

10/22/18

El Muerto

El muerto entró en la caja.
El muerto salió de la caja.
¡Que muerto más muerto!
Parece estar despierto.

El muerto sale de aquí.
El muerto entra allá.
Sale de allí,
se mete por acá.
¿Adónde irá a parar el muerto?

Viaja en primera clase.
La caja es cómoda
porque el viaje es largo.
Va acostado.
Va relajado.

¿Qué es "el estar aquí?"

Ocupar un espacio dentro del espacio...
El muerto está aquí,
el vivo anda por allá.
Va apresuradamente.
Va parado.

Se dirige directamente hacia el muerto.

El vivo corre por aquí,
el vivo trota por allá.
No sale vivo de la vida
la vida lo debilita.

Al muerto se le murió
la vida.
Al vivo se le muere
la muerte.

10/23/18

El Trío

Mi sombra, mi muerte y yo
andamos tomados del brazo.
Una adelante, la otra atrás o adelante, y yo
siempre en medio:

Fantasía
Ansiedad
Resentimiento.

Penetrando por las rendijas
del vivir,
del ser,
del estar,
o del no estar.

Y yo siempre en medio.

Limpiando las ilusiones con mi mortalidad.
Intensificando mis enjabonadas experiencias.
Lavando las fantasías y volviéndolas a usar.

Y yo siempre en medio.

Se están gastando.
Tendré que lavarlas en seco.
No tienen remedios.
¡Son sombras vivientes!

Como me sazono en la fantasía.

Y yo siempre en medio.

Me asustan.
¡Qué terror!
Las sombras son
terroristas.

Y yo siempre en medio.

Y la muerte se hace pasar por pacifista.
No le tengo confianza.
Se aparece por doquier,
sin ton ni son.
Es izquierdista.
No le tengo confianza.
Está cruda y retorcida.
No le tengo confianza.
Como me cocino en la ansiedad.

Y yo siempre en medio.

Ella
sola,
acompañada.
Yo
solo,
acompañado.
Con la angustia del verbo ser o estar.
Ya sin sentirme,
ya sin estarme.
¡Qué verbo que no cicatriza!
¡Qué odio le estoy cogiendo!

Voy a cogerlo.
Voy a tirarlo.

Y yo siempre en medio.

¿Cómo se puede ser?
¿Cómo se puede no estar?
Se me está pegando ese verbo a la piel.
Sale volando cantando y
tocando mis cuerdas vocales.
Se pega a la puerta.
lo voy a aplastar.
Verbo cucaracha
¡Como me hiervo en el resentimiento!

Y yo siempre en medio.

¡La incertidumbre es letal!
Son completamente para mí:
Mi sombra,
Mi muerte,
Mi Yo.

¡Y yo soy entero!

10/25/18

¿Quién Eres?

Hoy te vi pasar
vi lo sublime
en tus pasos de nube,
sentí el piso pegajoso.

¿Pegajoso?
Entonces me despegué de ti.

Flotando en el agua de la imaginación
me dejé arrastrar
por la sensación de estar.

¿Es que tú eres un mago?
Respira profundamente
y adivíname el alma.
Aclárame los huesos.
Léeme la taza o las barajas.
Barájame en la brizna del otoño.

Me acerqué a ti
a lavarme las manos.
Quisiste lavarme los pies.

Abracadabra patas de cabra.
Te esfumaste.
Me moría del susto
al contemplar tu busto.

Respiré de nuevo
me entré en un huevo.

¿Me entré en un huevo?

Entonces me lavé en ti.
Caminé al revés.
Corrí al derecho.
Respire al izquierdo.

Abrí la puerta del huevo.
Me volví a pegar en ti.
Simplemente . . . te vi pasar.

10/29/18

Cuando Me Hablas

Tus palabras son como un espejismo maltratado,
picado por un alacrán.
Se deslizan en mis oídos
patinando en el hielo.

Parecen sombras suaves.
Parecen ser de melcocha
tus palabras.

Resbalan
¿Pero no se caen las letras?
¿Pero no caminan los verbos?
Se detienen a descansar.
Mientras . . .
Los adverbios bailan boleros.

Mis oídos tratando de cazar tus sonidos con un rifle.

¿De qué están hechas tus palabras?
¿De clara de huevo con rayos de reflejos de luna licuados en
tus labios?

Me arropo con ellas
me envuelvo en las sílabas.

Palabras de hechicera
que embrujan mis pensamientos.

11/1/18

¡Que Fallon!

Fallon, como pega de duro
casi me parte un rayo
el brazo izquierdo.
Casi se me caen los pensamientos
mirando de reojo tu destino.

Fallon, patea como mula
en la misma mitad de la luna.
Que me pisa un tren,
que me deja la cara como una sartén.
Me vienen ideas rosadas,
oliendo tu pasado verde.

¿Cuál será tu pasado?
Parece que anda descalzo.

¿Cuál será tu futuro?
Eso ya es cosa de brujos.

Tu futuro huele a marijuana,
tu futuro lleno de vitaminas y minerales
muy bien ejercitado.
¡Qué buenas condiciones físicas tiene!
¡Qué robustez de sueños, Fallon!

¿Cuál fue tu pasado?

Se desgranó en el olvido.

¿En qué futuro te metiste?
En el de un Black Hole
¡Qué gravitación!

Y, te deshidrata en el presente
patea la paciencia.
Orbita alrededor de hoy.
Amansa la mañana.
Sale hecha pulga del
Black Hole.

Ya no eres tú.
Dejaste de ser.
Eres un cometa con ojeras,
dibujando la cara del tiempo.
Fallon, en el firmamento.

11/5/18

Fin de Año

Se va de rumba
vestido de sábado rojo y negro,
el año.

El año se nos va
¿Hay que darle primero
auxilio, o segundo?

Como le parezca mejor.

Se nos muere en las manos
denle respiración artificial.

Está desmayado de la fiebre.
Está sudando copiosamente.
Le dan temblores.
Se estérica del dolor.

Que pena me da ver al año.

Le rezan un padre nuestro
le dicen el Ave María y
el Santo Rosario.

ya se nos muere el año.

Resucitará en Enero
vendrá limpio de pecados
con promesas que no serán cumplidas
como las palabras de vida
desorientadas de realidad.

Y se nos seguirá muriendo
el año,
como siempre,
como siempre,
metiéndose en los espejos...

Envejeciendo

Los espejos son espesos.

Son de harina y queso
batidos con huevos.

No me están gustando.
antes, me gustaban.
Hoy en día no me miran directo.

Los esquivos con mis reflejos,
los salto de reojo,
los trato de hornear con cremas,
los sofrío porque me dan pena.

Desde los cuarenta.

Seriamente, aterrorizada está
mi cara,
mi nariz escondida debajo de la cama,
mis mejillas asiladas en embajadas.
El mentón y el cuello en la clandestinidad.
(El espejo da recompensa por información sobre sus
paraderos).
La frente es una mártir, pide la intervención del clero,
el pelo está blanco del miedo.

¡Abajo el régimen de represión de los espejos!

Hago un llamado a la unidad:
vamos a organizar marchas de bastones,
vamos a hacer huelgas de arrugas,
vamos a boicotear al azogue,
vamos a parar el tráfico con sillas de ruedas.

Así derrocamos la tiranía de los espejos,
y democratizamos la edad.

11/7/18

¿Quiénes Somos?

Esa estatua de mirada artrítica
me confunde hasta el anochecer
ya se creerá, Rusa o Alemana.

¿Baila polca o valses?
Verla es gratis.

Sonríe como si fuera una puerta
hacerle un poema me da dolor de cabeza.
Me duele el dedo gordo también.

Me recuerda las separaciones de mis dientes.
Eran tan anchas como el
Canal de La Mancha.
Eran ventanas al hemisferio de
mi alma.
El mundo podía ver
sentimientos sentado en la sala,
emociones viendo televisión.

Hasta que una dentista
a mano armada las condenó.

Esa estatua de nariz diabética
marmóreamente me respira
descomponiéndome la mañana.
Es Rusa o Alemana.

Casi, casi lo aseguro
porque baila meneándose duro.

Esta oliéndome
mi yo emocional.

La lógica de mi Ego.
La irracionalidad de mi Alter Ego.
Las aspiraciones de mi Súper Ego.
¿Ven que tengo una razón
para ser quien soy?
Ustedes lectores, también tienen sus razones de ser
quienes son.

Sus lógicas tienen sentido,
¡Celébrenlo bailando un son!

No somos estatuas Rusas.
No somos estatuas Alemanas.
Somos un pronombre personal:
Nosotros.
Acompañado de un adverbio:
Mismos.

Racionales o Irracionales,
somos y estamos.

11/7/18

Predicciones del Tiempo

Hoy amanecí medio nublado
con la alta posibilidad de lluvia.
Se me va el sol de vez en cuando
o, a veces me vienen las nubes
formando sueños.
Hoy amanecí medio soleado.

Casi le pego un zapatazo a la mañana
y la mato como a una cucaracha.
Cucaracha de mañana
mañana mañosa.
El medio no me sirve,
se descompuso.
Hoy amanecí medio nublado.

La tarde no mejoró
ni con dos aspirinas
y una taza de té
el sol se fue montado en una pluma
cabalgó suavemente por las lomas de los sueños.

Aquí mismo me detengo,
porque se me fue la inspiración.
Se escapó esa traicionera
iba montada detrás del sol.

Casi de la rabia la mato.
¡Escaparse con el sol
y dejar a este mulato gris como un pantalón!

11/12/18

La Lluvia

Ardorosamente acaricia el amanecer.
Amable amante eres imperdonable en tu paciencia.
Abre los ojos al día
parsimoniosamente.

Me limpio la cara
sigue sentada silenciosa.

Me Muevo.
Respira.
Esquivo.
Te apresuras.
Me sacudo.
Solloza.

No me duelen los huesos.
Siempre me duelen cuando llueve.
Llueven pescaditos.

no, los pescaditos vuelan
tienen alas y plumas.

Los zapatos me aprietan
Los sentimientos se encogen con el agua
Hay que secarlos al sol
Nadan en el silencio de la nada
Están saliendo a flote

Tienen agallas
Respiran por la boca.

Tengo que desatarme los cordones.
Aprietan a las emociones,
los sentimientos crecieron,
se transformaron en emociones.
Algunos son apuestos,
parecen actores de películas románticas,
otros se ven como adulterios.
Mejor dejo que me aprieten los zapatos.

La lluvia me hace doler hasta los dientes del alma.

11/12/18

La Puerta

Nos miramos de par en par
había cien años de distancia en las miradas de intercambio
que nos dimos.

Yo guarde las tuyas en mis bolsillos.
Las mías pasaron como radiografías a través de tu madera
sin siquiera saber tu talla.

Y pregunté, ¿Adónde van las miradas perdidas?
¿Van al paraíso o al infierno?

Las malas miradas,
esas miradas pecadoras,
van al infinito, pensé
cuando te mire de reojo.

Con sospecha te vi
con una mirada atravesada que escogí a propósito.

Me dio pena mirarte así
la mirada se fue llorando.

No tenía remedio, se perdió.

11/13/18

El Cumpleaños

¡Cuantas arrugas!
No se pueden contar.
Son multi-millonarias,
están encima unas de otras.
Estos surcos los hizo la suerte.

La suerte de no quedarse...
de no quedarse entretenido en la niñez.
La suerte de no pararse en la juventud
caminando con la vejez.

Ella me ha amado con soltura de puta.
Yo, con caricias y chulerías.

Me confiesan las arrugas.

y agregó, "hoy es mi cumpleaños."
Ya se me olvidó cuántos son.

11/27/18

No Somos Lo Que Somos

Te conozco bacalao con tu máscara de ángel,
Diablo cojuelo.

Te conozco porque todos
estamos disfrazaos,
es parte de nuestra humanidad.

Te conozco bacalao
con tu piel de oveja
y cara de no fui yo,
vendiendo sonrisas,
echando bendiciones,
hablando del "Señor."
tu espejo social.
Escondiendo el lobo
encaretao.

Discerní tus patrones:
tu voz repiqueteando
tus maneras saltándome de un ojo a otro
olfateando tu tono en todos tus entornos
de cerca y de lejos, te conozco bacalao.

A mi no me dejas engañao.

11/28/18

Somos El Pasado

El futuro es líquido y fluye entre las estrellas
tal vez anda perdido.
Uno trata de escaparse de lo que lleva adentro
¡Qué fútil!
Es una inutilidad.
Como pan, luego existo
cuando estoy lleno.

Dejé de navegar en el futuro
después que lo encontré
lo navegué en una canoa.
Navegador de sueños y suspiros
me canse de remar.
Remarque en el repiqueteo de los remos
¿Adónde estoy?
¿Adónde me encuentro?
¿Soy yo quien soy?
No, es mi máscara social.

¡Aja! ¡Estoy en el futuro!
Cabalgo en un cometa salvaje,
lo trato de domar.
Relincha y brinca,
le clavo las espuelas.
¡Qué momento este momento!
Me puede llevar adónde quiera...
hasta a mi cama si quiero.

Pero este no soy yo
este es mi disfraz.

Descabalgué del cometa tratando de encontrar mis adentros.

Voy a zambullirme en el pasado.
Nado a todo vapor por mi mismo.
Anoche soñé que mi bebe se cayó de la cama
pero no tengo un bebe,
fue el sueño el que se cayó.
Lo vi debajo de la cama
me sentí rojo, lo vi amarillo
mejor salgo de mí.

Esta nadada me ha dejado en la nada.
Tengo que salirme del pasado,
mejor camino por la arena.
Busco el cometa
que se me ha ido de las manos.
¿En que me transporto ahora?

¿Ahora?
Estoy presente,
finalmente.
Me aterroriza el estar presente.
Uno se muere en el presente.
Uno no se muere en el futuro.
Dos, uno tampoco muere en el pasado.

Como pan.
Bebo agua.
Y existo.

11/30/18

Insomnios

La no che se par tió en dos...
Estaba tan descolorida y pálida.
Tenia anemia,
falta de hierro tal vez.
Se desmayó en mis manos.
La sostuve, abrió los ojos y me dijo:
"Te amo."

"Me gusta tanto como me miras."
Mis ojos olvidaron como cerrarse,
dije, no puedo abrazarte en ellos,
y te vas suavemente
dejándome el color de tus caricias.

Soy tu amante des-per-di-cia-do.

12/2/18

Confusión

Me confesé confundido de creencias.
El sacerdote hablaba con certeza.
El rabino con mucha más propiedad.
El imán con muchísima seguridad.
El monje budista no se quedaba atrás.
El chamán estaba casi callado, no lo dejaban hablar.

No había ateo.

No sabía a quién creer.
Todos desparramaban miedo,
acusaciones y maldiciones por doquier.

No había ateo.

Casi se me caían los dientes
de tanto terror.
Me envolvía en la sábanas
imaginaba demonios, los veía

No había ateo.

¡Ay, qué miedo más agrio!
¡Ay, qué terrible malestar de confusión!
Me dieron parálisis mental,
me hicieron vomitar.

No había ateo.

¡Qué atropello a la lógica!
¡Qué desinterés al análisis!
Asesinan la información científica a pedradas.
Acuchillada está la historia,
sangrando en el piso.

No había ateo.

Completamente ausente está la física.
Dan recompensa por su captura.
La biología huyó con un amante;
se fue a otro planeta.

No había ateo.

Se jodió el mundo.
Pena me da la ignorancia.
Es verdaderamente una puta.
Se vende,
o se convierte en amante
de corruptos y corruptas.

No había ateo.

12/3/18

Lázaro

Tú, que andas con tristeza de brazos caídos
que te conmueve un atardecer de soldado.
Maleante de amores te conjuras al mirar
la flaca noche.

Tú, que también llevas en la espalda
una tristeza de madre muerta
¡Levántate y anda, Lázaro perdido!

12/31/18

Reflexiones

Fui el último en llegar
a la última cena.
Ya no había salvación para mi,
ni pan, ni vino.

Vino conmigo solo mi sombra
nos quedamos sin comer
del pan de la vida,
nos quedamos sin beber
del agua eterna.

Dejamos de creer por no comer
por no beber.

Llegamos tarde a la última cena.

Se nos perdió el alma
entre el alboroto y las acusaciones.

Se acabaron los sueños.
Hay que aprender a soñar de nuevo: un Paraíso,
un paracaídas, él se cae...
Un porta monedas
para Judas.
¡Júdamelo! que los judamentos
ayudan a creer las mentiras,
gagueando.

Y hubo un firmamento con estrellas de mar
lunas de pan
planetas de harina
y galaxias de arena.

Llegamos tarde a la última cena.

Mírame a los ojos y miénteme más.
Es que tengo ganas de creer,
creer en algo,
para echarle la culpa de mis pecados
al por mayor y al detalle.

Pero llegamos tarde a la última cena.

Me retuerzo del hambre
necesito comer para creer.
12/25/18

El Carácter

Estoy en una relación expandida con el tiempo.
Flores de metas y adversidades
me dejan su aroma de calma.
La lengua me sabe a realidad.

Dejé de reaccionar al presente.
Me tire en picada.
Caí planchado como una camisa.
He aprendido de los años
lo que los días me han negado.
Me salí casi completamente del presente
por una hendija, dejé caer los días:
Se rompieron.

La boca se me volvió agua
cuando me conecté al pasado.
¡Por poco me electrocuto!
Vi mi niñez en tecnicolor.
Creí haber cambiado porque se me pararon los pelos,
¡Que espeluznante!
Necesito un barbero para que me recorte el horror
pues tengo el mismo carácter.

Cambió mi cuerpo, no yo.
Una ilusión solamente.
Un miraje.
Este año me susurró al oído derecho (no oigo bien con el

izquierdo):
"Tu carácter nació y creció hasta que fuiste cuatro
Ahí se paró, eres aún un niño de cuatro."

¿Y mis inclinaciones?
¿Y mis gustos?
"Todo fue escrito hasta que fuiste cuatro,
de tu humanidad el número mágico."

¡Cuatro! ¡Somos cuatro!

Entonces me realambré orgánicamente
con el padre de mi carácter:
el niño de cuatro.

Dejé de ser huérfano.
Ahora me identifico conmigo mismo.

No soy indeterminado.

Te Recuerdo

Olí el olor lejano de tu sonrisa
y te trajo a mi lado.
No se como puedes viajar en un olor.
Tu olor se sentó junto a mi
conversamos de a ratos.

Tu olor hacía pausas.
Lo miraba a los ojos.
Se ponía nervioso
atrapado en mi nariz.
Acaricie tus años de distancia.

Se entristeció de dulce
tu olor.
Recostó su cabeza sobre mi hombro
y me dijo, "No me huelas más,
me está enflaqueciendo."

Lo dejé de oler y el abanico se lo llevó.
Dejándome un sabor a canela.
¿Cuándo te volveré a oler?

1/11/19

Viajando

Hoy es día quince.
Puede ser cualquier otro día,
nada más cámbiele el número.

Como hoy es martes
también puede ser viernes,
nada más cámbiele el nombre.

Qué importan las medidas del tiempo si vamos en
dirección...
En dirección a la muerte.

Montado llegamos más rápido.
Caminando nos tomamos el tiempo
con un vaso de agua.
La vida se disuelve en los zapatos.
Me los quito y recuento los dedos de mis pies
aunque siempre han sido diez.

Sintiéndome seguro de mi mismo
me embarcó en una fantasía
cromática.
Seguimos destinados a la muerte
trazando nuestra ruta un pájaro plateado,
encaramado en la punta del cielo.

Nos movemos en el inconsciente.

Hacia arriba.
Hacia abajo.
El calor sofoca el subconsciente.
El frío lo hace resbalar.
Soy un programa virtual.
Soy un pensamiento superfluo,
con un virus.

Me defino autobiográficamente.
Soy mi memoria.
Me defino en episodios.
Eludiendo mi historia a veces.
Soy una existencia psíquica,
soy quien soy hoy
porque me recuerdo en el pasado.
¿Adónde comenzó mi existencia?

Existo porque recuerdo.

Se me va la memoria.
Me muero vivo.
Es declarativa.
Es semántica.
Si es de largo tiempo
bebo y como, como es secuencial.
Si es de corto tiempo
se muere mi memoria,
se muere mi yo.

¡Recuerdo entonces existo!

1/15/19

Soy Mi Memoria

A lo hecho pecho.
Ya estoy al revés.
Ya estoy al derecho.
Me mido.
Me peso.
Me sumo.
A fin de cuentas me esfumo.

Me disipo en el tiempo.
Vuelo, no nado,
y soy humo.

Los agujeros de mi historia
deshilachándose por horas.
Entonces los coso a mano
con aguja e hilo.

Al revés o al derecho,
casi seis pies de carne y huesos.

¡Que pesar me da mi peso!
Hoy aquí,
mañana allá.
Me allano y no miento.

Cada libra tiene su historia.
Cada historia tiene su libra.

Tengo una librería en mi cuerpo

Mi historia está a dieta.

Calculo mis experiencias.
Sumo mis sonrisas.
Multiplico las alegrías.
Divido las tristezas.
Resto mis pesares y agonías.

En total:
Es mi historia.
Es mi vida.
De arriba para abajo.
De abajo para arriba.

Como un salmón
nadando en el firmamento

Otra historia más.

Me sumo.
Me peso.
Me mido.
Soy todo humo.

Sentimiento de Bachata

Mis oídos le sacan el jugo
a esa bachata.
Mi corazón se baña en ella,
se enjabona con la melodía,
se enjuaga con las palabras.

Me cierra los ojos la congoja
con sus manos pálidas
(como en las novelas).

Oigo a un corazón de acero
palpitando en el infinito del olvido.
Se revuelve en el polvo,
se sacude,
se ensucia de nuevo.

Miro por una ventana
a la tristeza acurrucada.

Como una culebra
de pies a cabeza buscando hoyo sollozo.

Sale del baño el corazón
azucarado y melodioso
dando
un paso adelante mañana,
un paso atrás ayer,

un paso a la derecha hoy,
un paso a la izquierda está presente.

Todo confundido corazón
te ha secado la tristeza.

La tristeza se cuece en alcohol
y limón, cómo ceviche

La bachata la templa.